MADONNA

MADONNA

"Je sais que les différents aspects de ma personnalité, celui de la mégère, de la mangeuse d'hommes et de la femme extrêmement provocante, constituent une image de marque très commercialisable. Mais je ne manque pas de sincérité. Il ne faut pas trop me prendre au sérieux."

Marie Cahill

Traduction de Galia Prate

MINERVA

Bison Books Ltd.
Kimbolton House
117A Fulham Road
London SW3 6RL

© 1991 Bison Books Ltd.

© 1991 Editions Minerva SA, Genève-Paris
pour la version française

ISBN 2-8307-0155-0

Imprimé à Hong Kong

Table des matières

Introduction	6
La fille de Bay City, Michigan	10
Madonna—le premier album	18
Like A Virgin	22
Recherche Susan, désespérément	30
Madonna face au public	40
Madonna et Sean	44
Shanghai Surprise	48
True Blue	52
Who's That Girl ?	58
Madonna à Broadway	72
Like A Prayer	74
Dick Tracy	78
Blond Ambition	84
La superstar	90
Index	94

Page 1 : Madonna est une femme aux mille
visages, aux mille images. Pendant son époque *True Blue,* elle avait adopté une attitude
innocente mais cependant sensuelle.

Page 3 : Dans *Who's That Girl ?,* Madonna
jouait le rôle d'une blonde cocasse.

Ces deux pages : Les toutes premières photos de Madonna.

Introduction

C'est la star la plus excitante au monde et on la connaît sous un seul nom : Madonna. Un nom qui évoque un mélange mystérieux de respect et d'irrespect.

Sexy et suffocante, Madonna fit une entrée remarquée dans le monde de la musique "pop" en 1983 avec son premier album : *Madonna.* Cet événement fut bientôt suivi d'une succession de 45 tours et d'albums. De *Like A Virgin* (1984) à *I'm Breathless* (1990), tous les albums de Madonna arrivent au sommet des hit-parades. Elle a eu 18 succès consécutifs classés dans les cinq premiers et a vendu plus de 60 millions d'albums dans le monde.

Sur un rythme "disco", sa musique est brillante et agressive, mais ce qui fit vraiment une star de Madonna fut son attitude provocante et changeante. Ses clips vidéo la montrent en "material girl", en blonde explosive, ou bien en "virgin" pas-si-vierge-que-ça. Célèbre du fait qu'elle porte des sous-vêtements à dentelles par-dessus ses costumes, Madonna est rapidement devenue le plus grand "sex symbol" depuis Marilyn Monroe. Cependant, à l'encontre de la tragique Marilyn, Madonna n'a été la victime de personne. C'est une femme qui est aussi astucieuse qu'elle est sexy.

Elle sut étendre son talent au-delà du domaine de la musique grâce à un rôle acclamé par le monde entier dans le film *Recherche Susan, désespérément* (1985) dans lequel elle jouait le rôle de Susan, une femme courageuse et assurée. Bien que ses deux films suivants, *Shanghai Surprise* (1986) et *Who's That Girl ?* (1987), n'aient pas eu de succès, elle fut ensuite acclamée à Broadway dans *Speed-the-Plow* (1988) de David Mamet, où elle interpréta son rôle le plus sérieux et le plus différent des précédents.

A droite : En 1983, Madonna révolutionna le monde entier avec sa musique *et* son image excentrique mais sexy.

A gauche : Deux ans plus tard, alors que sa carrière de chanteuse marchait très fort, elle joua le rôle principal dans *Recherche Susan, désespérément.*

A gauche : Madonna, la femme fatale.

A droite : Ayant les cheveux teints en blond platine, Madonna fut comparée à une autre blonde sexy et explosive : Marilyn Monroe.

En bas : Madonna jouant le rôle de la séduisante Breathless Mahoney avec Warren Beatty dans *Dick Tracy*.

De nouveau à l'écran dans *Dick Tracy* (1990), elle joua le rôle de Breathless Mahoney, une chanteuse de night-club sexy et machiavélique. Bien que ce rôle ait été écrit sur mesures pour elle, elle le considéra sans grand intérêt et forma sa propre société de production afin de trouver des rôles plus intéressants pour elle-même. Hors des studios, la liaison de Madonna avec sa co-star et réalisateur Warren Beatty fit couler beaucoup d'encre dans les journaux à scandales.

Pendant que *Dick Tracy* faisait salle comble dans tous les cinémas américains, Madonna éblouissait le reste du monde avec la tournée de son album *Blond Ambition*. Cette troisième tournée, la plus excitante jusqu'alors, offrait un spectacle séduisant et étincelant qui était extrêmement rapide et bien chorégraphé — ressemblant d'ailleurs plus à une production de Broadway qu'à un concert de rock.

Bien que tous ses spectacles aient fait salle comble, cette reine provocante de la musique "pop" ne fut pas appréciée de tout le monde.

En Italie, par exemple, son attitude jugée trop sexuelle fit scandale. Néanmoins, Madonna est une femme qui n'a pas honte d'elle-même. Elle sut faire face à ses critiques et les invita même à venir voir son spectacle.

Madonna a fait beaucoup de chemin depuis qu'elle a commencé à chanter dans les discothèques de New York. Qu'elle joue la comédie ou qu'elle chante, elle continuera à être l'une des stars les plus brillantes des années 90.

La fille de Bay City, Michigan

Oui, elle s'appelle vraiment Madonna. Lorsqu'elle commençait dans le métier, les gens croyaient qu'elle avait choisi ce nom pour sa valeur " glamour ", mais en fait elle porte tout simplement le prénom de sa mère.

Madonna Louise Veronica Ciccone est née le 16 août 1958 à Bay City, dans le Michigan. L'aînée de six frères et sœurs, elle fut confrontée très jeune à un grand malheur. En effet, juste avant qu'elle fête son septième anniversaire, elle perdit sa mère qui mourut d'un cancer du sein.

Son père, rongé par le chagrin, se sentit incapable de travailler à plein temps tout en s'occupant des enfants, et les envoya donc vivre chez des parents. Dès que cela fut possible, les enfants revinrent chez eux et découvrirent avec surprise que leur " gouvernante " allait en fait devenir leur belle-mère. Peu de temps après, le père de Madonna et sa nouvelle épouse devaient avoir deux autres enfants.

Plusieurs années plus tard, Madonna essayait toujours de se remettre de la mort de sa mère. "Il a fallu que je gère la perte de ma mère, puis la culpabilité d'être partie, puis le

En 1976, les camarades de classe de Madonna au Rochester Adams High School étaient loin de penser que celle-ci *(à gauche)* serait un jour riche et célèbre. Cependant, Madonna n'est pas étonnée de son succès car elle a travaillé très dur pour y parvenir.

Au-dessus et à droite : Deux des tenues excentriques de Madonna.

A gauche: Healthy ? (En bonne santé ?) Certainement ! Madonna s'occupe de son corps avec son ardeur habituelle. Quotidiennement, elle pratique l'aérobic, la natation et court 10 kilomètres à pieds.

A droite : Madonna a autant d'intelligence que de talent. Depuis le début de sa carrière, elle a parfaitement su utiliser les médias.

deuxième mariage de mon père. Je n'étais alors qu'une petite fille abandonnée et en colère. Et je suis toujours en colère." Le clip vidéo de la chanson *Oh Father,* dans lequel elle danse sur la tombe de sa mère, est décrit comme étant la tentative de Madonna de toucher du doigt et accepter la mort de celle-ci.

Etant l'aînée des filles, Madonna avait la responsabilité de nombreuses tâches domestiques, et en particulier de s'occuper de ses jeunes frères et sœurs. A ce propos, elle a plus tard déclaré : "Je me considérais vraiment comme la quintessence de Cendrillon. J'avais une belle-mère et beaucoup de travail. C'était terrible. Je ne sortais jamais et je n'avais pas de jolies robes."

En dépit de tous ces durs travaux qu'elle devait faire à la maison, Madonna a toujours eu de bonnes notes en classe. C'était une élève consciencieuse qui avait toute la sympathie des religieuses, mais elle supportait très mal l'uniforme. Comme elle le trouvait ennuyeux et laid, elle cherchait de nouvelles manières de l'égayer en se mettant des rubans

dans les cheveux ou en portant des chaussettes de couleurs bizarres. C'est ainsi que naquit le style vestimentaire éclectique et flamboyant de Madonna qui est aujourd'hui devenu son image de marque.

Mais les vêtements n'étaient qu'une manière d'attirer l'attention. Voulant toujours se trouver sous les projecteurs, Madonna s'inscrivit pour jouer dans les pièces ou comédies musicales de son école. Et, dans le jardin de sa maison, elle et ses amies dansaient sur des disques du label Motown, mais la danse ne servait pas seulement à s'amuser. Danser devint le passe-temps le plus important de l'adolescence de Madonna. Elle arrangea son emploi du temps scolaire pour finir tôt afin de prendre des cours de danse après l'école. Son professeur de danse et mentor, Christopher Flynn, remarqua en elle quelque chose de spécial et l'encouragea à aller à New York pour continuer sa carrière de danseuse.

Après avoir obtenu son diplôme de fin d'étude au Rochester Adams High School en 1976, elle reçut une bourse

Ces pages : L'obsession de Madonna pour les crucifix remonte à l'époque où elle était élève dans une école catholique. "Il y a quelque chose de très mystérieux et de très séduisant dans ces objets" dit Madonna. Cependant, les dirigeants de l'Eglise s'opposent à son utilisation des crucifix en tant que bijoux fantaisie et, en 1990, essayèrent même d'annuler ses concerts en Italie.

d'étude de danse sur quatre ans de 100 % à l'Université du Michigan. Cependant, les promesses de renommée de New York l'attiraient et, à la grande déception de son père, elle abandonna ses études universitaires. Avec peu d'argent mais beaucoup de volonté, Madonna prit l'avion pour New York où elle obtint bientôt une bourse d'étude à la célèbre Alvin Ailey School.

Bien qu'elle eût beaucoup de talent comme danseuse, Madonna était noyée parmi les autres élèves de l'école Alvin Ailey. Ils étaient tous tellement sérieux et ambitieux qu'elle commença à se révolter contre la discipline de cette institution, exactement comme elle l'avait fait contre l'uniforme de son école dix ans auparavant. Elle se mit donc à se teindre les cheveux de couleurs différentes, puis à déchirer ses collants de danse et à les raccommoder avec des épingles de nourrice. Finalement, Madonna réalisa qu'elle n'avait pas le temps d'attendre pendant des années pour se lancer et décida de chercher les moyens d'exprimer son énergie créatrice — ce qu'elle fit en se tournant vers la musique.

A une fête, Madonna rencontra Dan Gilroy, un musicien qui habitait le quartier de Queens. Ils commencèrent à sortir ensemble, puis elle emménagea finalement avec lui. Son appartement, qui lui servait également de studio, était une synagogue désaffectée, et c'est là qu'il lui enseigna à jouer de la guitare. Poussée par son désir de réussir, elle commença à écrire des chansons et à jouer d'autres instruments. Après environ une année, que Madonna décrit comme sa "formation musicale intensive", ce fut la naissance du "Breakfast Club". Ce petit groupe comprenait Dan et son frère Ed, Madonna à la batterie, et une de ses amies de l'école de danse du nom d'Angie Smith à la basse.

Bien que les frères Gilroy aient été musiciens depuis des années, il leur manquait une chose que Madonna avait en abondance : l'énergie. Dan Gilroy la décrit ainsi : "Elle se levait le matin, avalait rapidement un café, puis se mettait au téléphone et appelait tout le monde — vraiment tout le monde ! Depuis Bleeker Bob's (le magasin de disques local) jusqu'aux managers dont elle pourrait avoir besoin.

Dès le début, Madonna visait le sommet. Elle voulait chanter et faire des disques, et c'est alors qu'elle se sépara du Breakfast Club.

Madonna revint bientôt à Manhattan et forma rapidement son propre groupe. Elle fut assez vite remarquée par Mark Kamins, un disc jockey de la Danceteria, qui était le club à la mode de l'époque. Kamins se souvient d'elle : "Elle avait son propre style. Lorsqu'elle commençait à danser, il y avait immédiatement vingt personnes qui se mettaient à danser avec elle".

Ces pages : Madonna à l'époque de la sortie de son premier album. Personne ne se doutait alors qu'elle allait devenir la star la plus excitante de la planète. Juste après que son premier album soit arrivé en tête du hit parade, Madonna révolutionnait la mode aussi bien que la chanson. Le style osé de ses vêtements inspira des milliers d'adolescentes aux Etats-Unis qui se mirent à l'imiter.

Après avoir écouté l'une des bandes de démonstration de Madonna, Kamins fut tellement enthousiasmé qu'il la passa à la Danceteria. Ce qui est plus important est que Kamins emmena Madonna dans un studio pour produire une version améliorée de cette bande de démonstration qu'il présenta ensuite à la maison de disques Sire Records où il négocia un contrat pour elle. La chanson en question, " Everybody ", qui était une chanson à danser de style " funk ", n'arriva jamais au hit parade mais eut le mérite de lancer la carrière de Madonna.

Madonna — le premier album

En juillet 1983, Sire Records sortit le premier album de Madonna, sous le titre *Madonna*. "Holiday", la première chanson de ce 33 tours, sortit en 45 tours au mois de décembre suivant et resta au hit parade pendant onze semaines en étant arrivé à la seizième place. "Holiday", une chanson assez brillante, avait été produite par John "Jellybean" Benitez, le petit ami de Madonna à l'époque.

Benitez, un disc jockey en vogue du Funhouse, s'était fait remarquer en réalisant des remix des bandes de démonstration de jeunes chanteurs qui promettaient. Jellybean captura le cœur de Madonna aussi bien que sa voix, et le couple resta ensemble pendant deux ans.

Bien que son premier album ait démarré lentement en 1983, Madonna avait, comme toujours, parfaitement confiance en elle. "Je sait que ce disque est bon et, un de ces jours, Warner Brothers (propriétaire de Sire Records) et tous les autres finiront par le comprendre."

Il ne fallut pas attendre longtemps pour que le monde entier découvre *Madonna* et Madonna. Deux autres chansons de *Madonna* sortirent en 45 tours en 1984. "Borderline" arriva dans les dix premiers au hit parade, et "Lucky Star", son plus grand succès à cette époque se classa quatrième. Dès l'automne 1984, *Madonna* lui avait valu un disque d'or, pour ensuite lui en rapporter un de platine. Cet album s'était vendu à trois millions d'exemplaires et le suivant devait doubler ce chiffre.

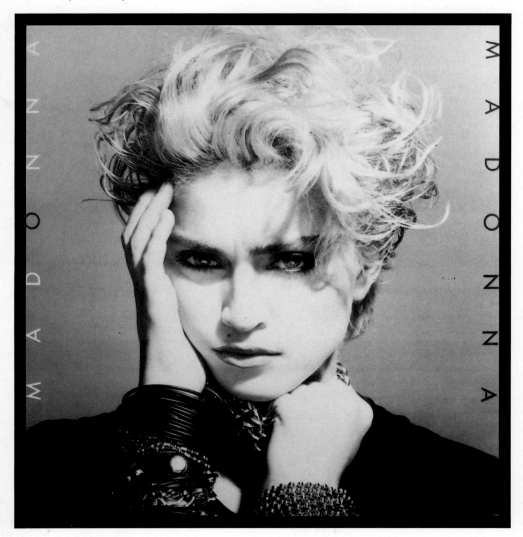

A gauche : La couverture de l'album de Madonna intitulé *Madonna*. Cet album comprenait "Borderline", le premier des 45 tours de Madonna à se classer dans les dix meilleurs.

A droite : Au début, les critiques considérèrent Madonna comme une diva de discothèque dont le succès serait éphémère.

Au-dessus : Le premier amour de Madonna est la danse et toutes ses tournées ont comporté des numéros de danse excitants, et même parfois érotiques.

A gauche : sur la pochette *Madonna,* la couverture comme le dos traduisent la grande classe de Madonna.

A droite : La chanteuse provocante.

Like A Virgin

En excellente femme d'affaires, Madonna s'entoura des meilleurs spécialistes de cette industrie. Elle engagea Freddy DeMann, le manager de Michael Jackson, pour diriger sa carrière. A cette époque, Michael Jackson était la plus grande de toutes les vedettes. Ensuite, elle engagea Nile Rodgers, producteur de " Let's dance ", chanson à grand succès de David Bowie, pour qu'il produise son deuxième album : *Like A Virgin*.

Le premier 45 tours de l'album *Like A Virgin* qui devait sortir fut la chanson titre. Ayant été mis en vente le 17 novembre 1984, il était déjà numéro un le 22 décembre. " Material Girl " se classa deuxième au hit parade, et l'album lui-même fut numéro un.

La Madonna-mania faisait rage aux Etats-Unis. La chaîne musicale MTV étant devenue une partie intégrante du monde de la chanson vers le milieu des années 80, les clips vidéo de Madonna suivirent de près ses succès de disque et c'est ainsi qu'elle entra dans tous les foyers pour projeter son sex-appeal sauvage. Dans le clip de " Lucky Star ", elle était érotique sans aucune vergogne, offrant sa poitrine et ses fesses à la caméra, tandis que dans " Burning Up ", elle prétendait avoir envie d'enlever sa robe.

S'étant elle-même proclamée " Boy Toy " (jouet pour hommes), Madonna et son image sexy aurait pu faire enrager les féministes, mais toutes les " teenagers " américaines adorèrent et imitèrent son style de vêtements : corsages et gants en dentelles, micro mini-jupes et chaussures à talons aiguille devinrent " in " pour une multitude de fanatiques. Eletra Casadei, un couturier de Los Angeles spécialisé dans les vêtements à la Madonna, vendit pour vingt-cinq millions de robes en dentelles sans bretelles sous le label TD4 (signifiant " To die for " = A mourir) en 1984, l'année où Madonna devint populaire. Les modes vont et viennent et de nombreux couturiers pensèrent que le style Madonna ne durerait pas. A leur grand étonnement, les vêtements Madonna se vendaient encore mieux un an après.

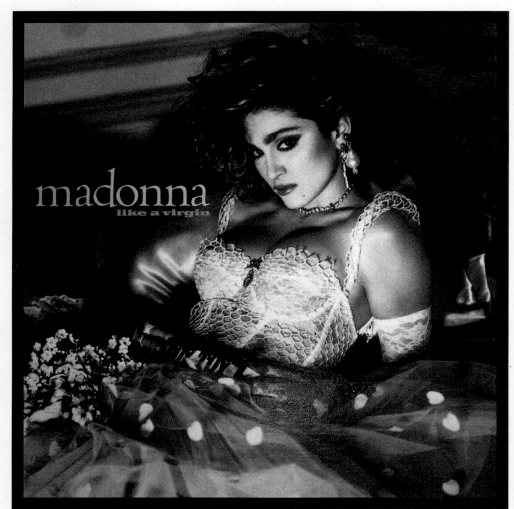

A gauche : La couverture de l'album *Like A Virgin* qui propulsa Madonna au rang de star.

A droite : Bien qu'elle soit vêtue de dentelle blanche, Madonna n'a vraiment rien de virginal.

A gauche : Vêtue d'une robe de mariée revue et corrigée par elle, Madonna termina chaque concert de sa tournée "Virgin" par une interprétation sensuelle de *Like A virgin.*

La cassette vidéo de sa tournée de concerts "Virgin" fut la plus vendue de toutes les cassettes vidéo musicales en 1986.

Au-dessous : Le dos de la pochette de *Like A Virgin.*

A droite : Madonna en 1985 après que *Like A Virgin* soit devenu un immense succès, faisant d'elle une star.

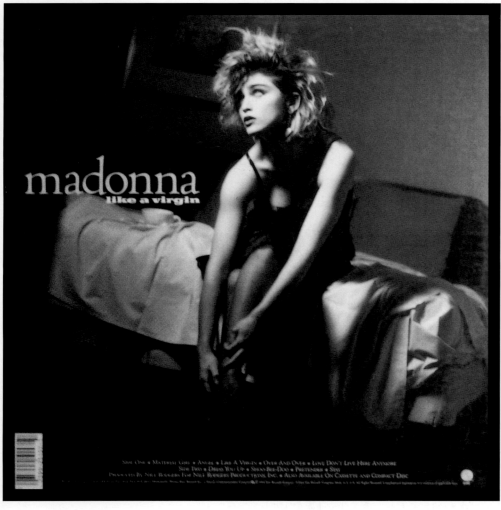

Au-dessus : Madonna en "Material Girl" et son inspiratrice : Marilyn Monroe *(en haut, à droite) susurrant "Diamonds Are A Girl's Best Friend" (Les diamants sont les meilleurs amis de la femme) dans Gentlemen Prefer Blondes (Les hommes préfèrent les blondes).*

Dès le début de sa carrière, Madonna savait que son image était aussi importante que ses talents musicaux. En véritable caméléon, Madonna n'hésita jamais à changer son image au gré de sa fantaisie. Dans la vidéo qui accompagnait "Material Girl", le deuxième 45 tours extrait de *Like A Virgin,* Madonna imita l'inoubliable performance de Marilyn Monroe chantant "Diamonds Are A Girl's Best Friend" (Les diamants sont les meilleurs amis de la femme) dans *Gentlemen Prefer Blondes* (Les hommes préfèrent les blondes). Ce clip vidéo portait naturellement le public à comparer ces deux stars voluptueu-

ses. Au début, Madonna apprécia la comparaison : " J'ai pris cela comme un compliment. Elle était très sexy — extrêmement sexy — et elle avait les cheveux blonds, etc, etc,... Puis cela commença à m'ennuyer car personne ne veut être continuellement comparé à quelqu'un d'autre. On préfère toujours que les gens nous apprécient pour ce que nous avons à dire nous-mêmes. "

La différence entre les deux, comme s'empresse de le préciser Madonna, est que " Marilyn Monroe était une victime et moi non. " Un sentiment similaire a été exprimé par le Dr. Joyce Brothers : " Madonna est une personne très sexy pour notre époque. Elle est indépendante et a une bonne tête sur les épaules. Elle plaît aux femmes car elles ne la considèrent pas comme une victime. Elle plaît aux hommes parce qu'elle est sexy, mais pas directement, comme dans *Penthouse.* Elle est puérile et innocente tout en étant coquine.

En haut : Madonna dans une pose rappelant les " Glamour Girls " de l'âge d'or d'Hollywood.

A gauche : Dès que ses 45 tours se furent propulsés aux premières places du hit parade, Madonna reçut les éloges de ses pairs lors des American Music Awards.

27

Au-dessus : Madonna et Huey Lewis aux American Music Awards.

A droite : Madonna avait de bonnes raisons de sourire. Elle venait d'être récompensée de tous ses efforts et s'envolait vers la gloire.

Recherche Susan, désespérément

Les critiques pensaient que la bonne étoile de Madonna allait s'éteindre, comme c'est le cas pour de nombreuses stars "pop". Cependant, Madonna prouva qu'elle était bien autre chose qu'une diva de discothèque. Pendant que son deuxième album montait au hit parade, Madonna tourna son attention vers le grand écran en jouant dans *Recherche Susan, désespérément* (1985). Lorsque la réalisatrice Susan Seidelman apprit que la chanteuse la plus populaire de la ville était intéressée par le rôle de Susan, elle convoqua Madonna pour faire des essais. "Elle était nerveuse et vulnérable mais pas du tout arrogante ; douce mais intelligente, avec beaucoup d'humour," se souvient Seidelman, "c'est là que j'ai commencé à la voir en Susan." Les directeurs d'Orion Pictures hésitaient à engager une comédienne non éprouvée, mais la productrice Midge Sanford fut séduite : "Elle avait une présence dont on ne pouvait pas se débarrasser."

Recherche Susan, désespérément était une comédie à petit budget qui rappelait les films comiques des années 30 — mais avec une bonne dose de satire. L'histoire raconte une situation dans laquelle une personne est prise pour une autre. Roberta, une femme au foyer de la banlieue, jouée par Rosanna Arquette, suit les petites annonces personnelles pour avoir des nouvelles de Susan, une jeune femme très libérée ayant la spécialité de se retrouver dans des situations difficiles. Après avoir été frappée à la tête, Roberta perd conscience et ne peut plus se rappeler qui elle est mais, comme tout le monde autour d'elle la prend pour Susan, elle présume logiquement qu'elle est *vraiment* Susan.

Le personnage de Susan a été comparé à Madonna elle-

A gauche : Avec deux albums à succès derrière elle, Madonna avait très envie de tourner au cinéma. Dans son premier film, elle jouait un rôle merveilleusement adapté à sa personnalité : celui de Susan dans *Recherche Susan, désespérément.*

A droite : Susan était un type de personnage qui pouvait s'adapter à tous les environnements, que ce soit l'appartement d'une vieille amie ou la piscine d'une connaissance de fraîche date.

même. Comme Madonna, Susan a beaucoup de courage et d'assurance. Anna Levine, qui joue le rôle de Crystal, l'amie de Susan, se souvient que : " Madonna avait un concept bien défini de son personnage — ce que beaucoup de comédiens n'ont pas — et on lui a donc laissé jouer son propre rôle." Madonna eut un contrôle considérable sur ce personnage : elle choisit la couleur de ses cheveux, fit son propre maquillage et donna à Susan son style personnel de confiance en elle-même. Le fait d'avoir permis à Madonna d'interpréter ce rôle à sa manière fut une excellente décision. En effet, *Recherche Susan, désespérément* sortit autour de Pâques 1985 et

L'histoire tourne autour des annonces personnelles *(extrême gauche),* d'une paire de boucles d'oreilles égyptiennes *(au-dessus)* et du génie de Susan pour perturber la vie des gens qu'elle rencontre *(à gauche).*

A gauche : Madonna dans le rôle de Susan avec sa co-star Rosanna Arquette, qui interprétait le personnage de Roberta, une femme au foyer qui s'en-nuie et qui croit qu'elle est Susan après avoir reçu un coup sur la tête qui l'a ren-due amnésique.

A droite : Bien qu'il existe de nombreu-ses similarités entre Madonna et le per-sonnage de Susan, Madonna est la pre-mière à affirmer qu'elle ne faisait que jouer un rôle — et que Susan n'est *pas* Madonna.

rapporta, contre toute attente, 16 millions de dollars.

Recherche Susan, désespérément comportait l'un des succès de Madonna, "Into the Groove", qui fut l'une des chansons à danser les plus populaires de l'année. Alors que le film sortait, une autre chanson de Madonna faisant partie d'un autre film arriva au sommet du hit parade. En effet, "Crazy for You", une ballade chantée dans le film Vision Quest (1985), fut classée numéro un le 11 mai 1985. Bien qu'elle ait fait une brève apparition dans Vision Quest, sa performance prouva que les capacités vocales de Madonna allaient bien au-delà du style "disco".

En haut : Au moment où elle est sur le point de retrouver les effets personnels qu'elle avait perdus, Susan est arrêtée pour avoir refusé de payer son taxi.

A droite : C'est Madonna elle-même qui a fourni la garde-robe de Susan.

Extrême droite : Susan retrouve Jim, l'homme qui avait placé les annonces personnelles commençant par "Recherche Susan, désespérément".

Ces pages : Trois scènes de *Recherche Susan, désespérément.* Ce film fut un succès surprenant qui fit un bien plus grand nombre d'entrées que ce qui avait été espéré. Heureusement pour ses producteurs, la sortie de ce film coïncida avec l'ascension de Madonna à la renommée.

Madonna face au public

Avec à son crédit deux albums au hit parade *et* un rôle principal dans un film à succès, Madonna était prête pour sa première tournée de concerts dans 28 villes. Le nombre de billets disponibles était bien inférieur à la demande et, lorsque les trois concerts prévus au Radio City Music Hall (5 800 places) furent vendus en moins d'une demi-heure, des lieux plus spacieux furent rapidement choisis pour son itinéraire.

Madonna commença par le Paramount Theater de Seattle. Sur scène, elle dansa, s'exhiba et se contorsionna dans le cadre d'un spectacle extravagant, extrêmement bien chorégraphé, qui comportait 13 de ses chansons. Dans ce spectacle, elle était loin d'être réservée, passant par exemple son corps autour de la jambe de son guitariste. A la fin de chaque concert, elle revenait vêtue d'une robe de mariée blanche et enthousiasmait les spectateurs en reprenant sa chanson *Like A Virgin,* et leur demandait : "Voulez-vous m'épouser ?", à quoi ils répondaient : "Madonna, nous t'aimons !".

Le plus grand spectacle de Madonna en 1985 fut le concert Live Aid au JFK Stadium de Philadelphie le 13 juillet. Ce concert qui servit à trouver des fonds pour combattre la famine en Ethiopie et fut diffusé en direct "live" par satellite du JFK Stadium et du Wembley Stadium de Londres, fut regardé par plus d'un milliard de téléspectateurs dans le monde entier. Devant une foule de 90 000 personnes, elle interpréta des versions explosives de "Holiday", "Into the Groove" et "Love Makes the World Go Round" et n'eut rien à envier aux autres légendes du rock présentes telles que Mick Jagger et Keith Richards des Rolling Stones, Bob Dylan ou Tina Turner.

Le public était loin de se douter que, pour la première fois de sa vie, Madonna avait des appréhensions. En effet, les magasines *Playboy* et *Penthouse* avaient tous deux publié des photos nues de Madonna prises lorsqu'elle servait de modèle à des classes de dessin. C'était donc la première fois

A gauche : Madonna a toujours attiré l'attention. Depuis sa première apparition devant le public, sa tendance à porter des sous-vêtements d'une manière on ne peut moins orthodoxe a toujours choqué, dérangé et parfois même inspiré le public.

A droite : Madonna interprétant l'une de ses nombreuses chansons à succès devant son public.

A gauche : Madonna fut l'une des inter-
prètes du concert Live Aid, le spectacle le
plus important de 1985. Cet événement à
but charitable se déroula en deux lieux
séparés : le JFK Stadium à Philadelphie et
le Wembley Stadium à Londres.

A droite : Sur le tournage de *Recherche
Susan, désespérément* avec Rosanna
Arquette, son amie et co-star.

qu'elle devait faire face au public depuis la publication de ces
photos. D'un côté, elle était humiliée car elle avait perdu une
partie du contrôle de sa propre vie, mais elle triompha finalement : " Une partie de moi était très fière, mais l'autre me disait
qu'il n'était pas question que je me déprime, qu'il fallait que je
m'en sorte et que je leur botte les fesses pour pouvoir me
débarrasser de cette épée de Damoclès. "

Playboy et *Penthouse* s'empressèrent de signaler que les
photos de Madonna étaient " artistiques ". Cependant, elle eut
raison de penser que sa vie privée avait été violée. " Au début,
les photos publiées dans *Playboy* me firent beaucoup de mal,
et je n'étais pas sûre de mes sentiments à cet égard. Mainte-
nant, quand j'y repense, j'ai un peu honte de m'être mise en
colère ; pourtant j'aurais bien aimé que certaines choses res-

tent privées. Finalement, ce n'est pas si terrible que ça mais,
quand on ne s'y attend pas, c'est vraiment abominable d'être
exposée de la sorte. "

Madonna ne fut pas la première vedette à être ainsi exploi-
tée. Vanessa Williams avait perdu son titre de Miss America
lorsque des photos nues qu'on avait prises d'elle auparavant
avaient été publiées. Marilyn Monroe fut soumise à un traite-
ment similaire lorsqu'un calendrier comportant des photos
d'elle nue fut mis en vente.

Lorsqu'elle monta sur la scène du JFK Stadium, Madonna
garda la tête haute. Elle ne fit même pas attention aux remar-
ques peu subtiles que Bette Midler se permit de faire sur ces
photos, donna un spectacle extraordinaire et surtout
conserva son humour.

Madonna et Sean

Sean Penn rencontra Madonna pour la première fois sur le plateau du tournage du clip vidéo de "Material Girl". Bientôt, ils devinrent le couple le plus en vogue à Hollywood depuis Richard Burton et Elizabeth Taylor. N'ayant pas été invité là mais déterminé à y rester, Penn était alors un homme aussi connu pour ses films que pour son attitude hostile envers la presse. Cependant, il était aussi curieux de voir Madonna que n'importe qui d'autre au monde. Une amitié se développa bientôt entre eux mais ce fut loin d'être un coup de foudre. D'ailleurs, plus tard, Penn raconta aux invités de leur mariage qu'il se souvenait seulement d'elle lui disant : "Va-t-en ! Va-t-en ! Va-t-en !".

C'était bien là des paroles qui font tomber un homme amoureux. Après leur première rencontre, Sean prit un livre de citations, l'ouvrit au hasard et lut : "Elle avait l'innocence d'un enfant et la sagesse d'un homme." Ces mots semblaient être prémonitoires et c'est ainsi qu'il commença à lui faire la cour.

Cette approche orageuse donna tout de même un aperçu de ce qui devait arriver. Madonna passa une bonne partie de son temps en train de faire sa tournée "Virgin", tandis que Sean était dans le Tennessee en train de tourner *At Close Range*. Un jour, lorsque Madonna rendit visite à Sean sur le tournage, deux photographes anglais s'approchèrent du couple. Fidèle à ses habitudes un peu violentes, Sean accueillit ces photographes à coups de pierres. En conclusion, il fut accusé de coups et blessures et on lui fit un procès pour un million de dollars en dommages-intérêts.

Les journaux à scandales prétendirent que cette idylle était vouée à l'échec, indiquant même que Madonna s'était toujours rapprochée d'hommes pouvant faire avancer sa carrière. Cependant les amis du jeune couple démentirent cela formellement. Bien qu'on ait pu penser qu'ils étaient à l'opposé l'un de l'autre (lui détestait la publicité tandis qu'elle l'attirait, lui était un acteur sérieux tandis qu'elle était une mégère de la vidéo avec beaucoup d'humour), Sean et Madonna étaient vraiment amoureux l'un de l'autre et se marièrent le 16 août 1985, six mois après leur rencontre orageuse.

Le mariage se déroula dans des conditions de sécurité maximum. Même les invités ne furent pas averti du lieu de la

Ces pages : Dès que Madonna rencontra Sean, le couple fut poursuivi par les photographes partout où ils allaient. Ici, Madonna et Sean sont en route pour un concert au Roxy, à Los Angeles, sous l'œil vigilant des photographes.

Madonna explique d'ailleurs que le statut de star se paie : "On ne peut pas avoir une influence aussi énorme sur le public sans être mis sous un microscope ; ça, je le comprends." Cependant, Sean était beaucoup moins affable dans ses relations avec la presse.

Au-dessus : Madonna et Sean : ils alimentèrent les journaux à scandales d'Hollywood plus que tout autre couple depuis Elizabeth Taylor et Richar Burton.

A gauche : Malheureusement, le fait de faire du jogging ensemble ne les aida pas à consolider leur mariage.

A droite : Madonna, Sean et des amis pendant l'un des rares moments paisibles de leur mariage.

cérémonie jusqu'à la veille. Les journalistes ne furent pas admis par les vigiles et, bien que des hélicoptères se mirent alors à envahir leur vie privée, ce mariage se déroula paisiblement pour les 220 invités qui allaient des sept frères et sœurs de Madonna et sa grand-mère jusqu'à des stars d'Hollywood telles que Christopher Walken, Carrie Fischer, Diane Keaton et Tom Cruise. Comme toute autre mariée, Madonna était vêtue de tulle blanc et de dentelle, ayant abandonné son style caractéristique pour cette occasion.

Cependant, leur mariage fut loin d'être privé. Les "Poison Penn" (1), comme les appelaient les journalistes, faisaient constamment la une des quotidiens car Sean n'arrêtait pas de se battre avec les paparazzi. L'une de ces rixes se termina par une condamnation à $1 000 et à une année de probation. D'autres incidents causèrent à Sean de brefs séjours en prison pour ne pas s'être conformé aux termes de sa probation. En fait, les accès de violence de Sean commencèrent à stresser la chanteuse et on dit même qu'elle consulta un psychia-

tre pendant quelque temps dès qu'elle fut mariée.

Le fait qu'ils aient été autant recherchés par les médias n'arrangea pas du tout leurs affaires. "Très souvent, les journalistes inventaient des choses abominables que nous n'avions jamais faites, des disputes que nous n'avions jamais eues..." se souvient Madonna. "Puis, parfois, nous nous disputions réellement et nous l'avions déjà lu dans les journaux. C'était très inquiétant, un peu comme s'ils avaient pu le prédire, s'ils avaient mis notre téléphone sur écoute ou entendaient ce qui se passait dans notre chambre."

Lorsque Sean ne faisait pas la une avec sa dernière rixe, on entendait des rumeurs disant qu'elle était enceinte ou bien qu'ils allaient divorcer. Après trois ans d'un mariage tumultueux, toutes les rumeurs s'arrêtèrent et le couple divorça enfin.

(1) "Poison Penn": jeu de mots sur l'expression "poison pen" signifiant "plume trempée dans du vitriol". (N. d. T.).

Shanghai Surprise

Entre ces combats avec la presse, Madonna et Sean allèrent à Macao pour tourner le film *Shanghai Surprise* (1986), produit par Hand Made Films, la société de l'ex-Beatle George Harrison. L'histoire se passe à Shanghai dans les années 30 et Madonna joue le rôle d'une missionnaire qui tombe amoureuse d'un mercenaire hâbleur, interprété par son mari Sean Penn. Les producteurs avaient envisagé une liaison amoureuse semblable à celle que l'on avait vu se développer entre Humphrey Bogart et Katherine Hepburn dans *African Queen.* Malheureusement, *Shanghai Surprise* ne donna pas le même résultat. De plus, tous ceux qui ont vu *Shanghai Surprise* s'accordent à dire que ce film est loin d'être bon.

Comme d'habitude, ce qui se passait dans les coulisses du tournage attira plus d'attention que le film lui-même car Sean avait commencé à se disputer avec les journalistes. Georges Harrison se rendit donc à Macao pour faire la paix entre les Penn et la presse, mais après cela, le reste du tournage fut tout

A gauche : Dans *Shanghai Surprise,* Madonna joue le rôle de Gloria, une jeune femme qui a quitté son Massachussetts natal et la stabilité d'un futur mariage pour travailler comme missionnaire.

A droite : Il semblerait que les fans de Madonna n'étaient pas prêts à accepter cette star dans un rôle de missionnaire et *Shanghai Surprise* ne fit que très peu d'entrées dans les cinémas.

En haut, à gauche : Une fois arrivé en Chine, le personnage de Gloria, joué par Madonna, rencontre Mr Wade, interprété par Sean Penn. Une liaison tumultueuse se développe bientôt entre eux mais le public ne fut pas du tout séduit par cette idylle.

A droite : Le producteur exécutif du film était l'ex-Beatle George Harrison. Ce dernier dut venir spécialement de Londres pour apaiser les disputes entre la presse et les "Poison Penns".

de même transféré à Londres. Connaissant bien la frustration d'être constamment sous l'œil du public, Harrison fit de son mieux pour protéger le jeune couple, ce qui incita Madonna à déclarer : " Il est merveilleux, très compréhensif et très sympathique. En tous cas, il m'a donné plus de conseils sur la manière de traiter les journalistes que sur la manière de faire un film. "

Cependant, à la fin du tournage, toute la sympathie d'Harrison s'envola et il quitta les vedettes de son film sur des paroles peu aimables : " Penn est un emmerdeur, " est-il sensé avoir déclaré, " et Madonna devrait réaliser que l'on peut être une personne extraordinaire tout en restant humble. "

True Blue

L'échec de *Shanghai Surprise* ne suffit pas à enrayer la carrière de Madonna. *Recherche Susan, désespérément* avait donné la preuve de ses capacités en tant que comédienne, et l'avenir démontra qu'elle serait en fait applaudie aussi bien à l'écran que sur la scène de Broadway. En attendant, Madonna était en train de terminer son prochain album, *True Blue*.

"*Live to Tell*" fut la première chanson de l'album à sortir en 45 tours. Cette chanson fut distribuée en mai et, dès le 7 juin 1986, elle était déjà au sommet du hit parade. Le célèbre critique de rock Dave Marsh mit cette chanson sur la liste des 50 meilleures dans son livre *The Heart of Rock and Soul, 1001 Greatest singles Ever Made* (Le cœur du Rock et du Soul, les 1001 meilleurs 45 tours au monde), et écrivit : "S'il n'existait pas un préjugé négatif aussi important contre la sexualité du spectacle présenté par Madonna, "Live to Tell" pourrait se placer parmi les plus grandes chansons "pop" de ces dix dernières années." Cette chanson fit également partie du film *At close range* dont Sean Penn était l'acteur principal.

En juillet, l'émouvante chanson "Papa Don't Preach" fut mise en vente et se classa elle aussi en première place au hit parade. Les paroles de cette chanson décrivent une adolescente qui plaide pour obtenir la compréhension et l'approbation de son père car elle veut garder l'enfant qu'elle porte.

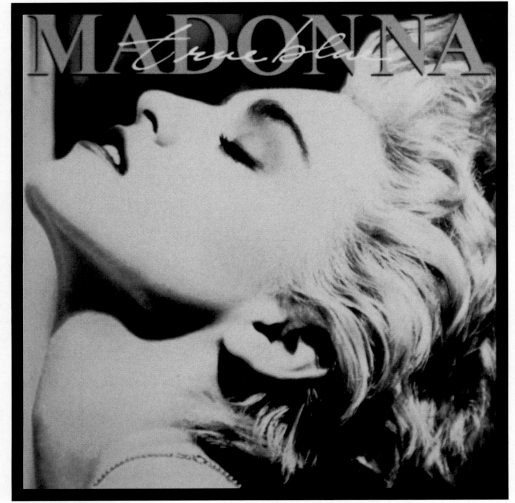

A gauche : *True Blue,* le troisième album de Madonna, comportait le grand succès "Papa Don't Preach". Le clip vidéo correspondant valut à Madonna le MTV Music Video Award de la meilleure chanteuse de 1987.

Au-dessus : Madonna et Sean à l'époque de la sortie de *True Blue.* Elle dédia cet album à Sean - "le mec le plus 'cool' de tout l'univers".

A droite : Photo publicitaire datant de l'époque de l'album *True Blue.*

A gauche : Madonna a prouvé qu'elle savait tout faire. Star de cinéma, danseuse, chanteuse, compositeur de chansons, Madonna est également très sensée en ce qui concerne la gestion de sa carrière.

A droite : La danseuse la plus célèbre au monde portant le soutien-gorge noir le plus célèbre au monde.

"Papa Don't Preach" démontre bien la maturité de Madonna en tant que compositeur. Les paroles légères et amusantes de "Holiday" cèdent la place au portrait poignant d'une jeune fille à l'agonie. Le reste de l'album reprend des airs très "disco" et, comme l'a écrit un critique, "(Cet) album reste fidèle à ses racines tout en s'élevant sans vergogne au-dessus de son passé."

A la fin de l'année, le 45 tours "True Blue" fit sa sortie et se retrouva numéro 3 au hit parade. "Open Your Heart" et "La Isla Bonita" suivirent bientôt. En fait, les cinq chansons de cet album se placèrent dans les cinq premières au hit parade. L'album se vendit à cinq millions d'exemplaires et Madonna reçut plusieurs disques de platine — ce qui fut un énorme succès, même pour une star du calibre de Madonna.

Ces pages : Madonna est célèbre pour ses clips vidéo qui sont toujours novateurs et souvent sujets à controverses. Ici, elle poursuit le thème et le look qu'elle avait créés pour *Who's That Girl ?*

Who's That Girl ?

Who's That Girl ?, le troisième long métrage de Madonna est une comédie moderne mais burlesque dans l'esprit de *Bringing Up Baby* de Howard Hawks et *The Lady Eve* de Preston Sturges. Dans le rôle de Nikki Finn, une femme du peuple condamnée injustement pour meurtre, Madonna s'inspira beaucoup de l'œuvre de Judy Holliday. Lorsque Nikki a purgé sa peine de prison, elle fait le vœu de laver son nom, ce qui déclenche une série de mésaventures impliquant sa co-star Griffin Dunne qui joue le rôle de l'indéfectible Loudon Trott. Naturellement, il tombe amoureux de la désopilante Nikki bien qu'il soit fiancé à la fille de son riche patron. Madonna adora immédiatement le scénario malgré quelques faiblesses qu'elle pensa pouvoir arranger plus tard.

Malheureusement, ces faiblesses subsistèrent dans le produit final et ce film, tout comme *Shanghai Surprise* auparavant, fut un échec dans les salles.

Cependant, Madonna demeura enthousiaste quant à sa carrière de comédienne. "Jouer la comédie m'amuse beaucoup car, comme pour la plupart des gens, la musique représente une expression personnelle, mais j'ai toujours aimé projeter des personnages différents. Il me semble que j'ai projeté un personnage très particulier avec *Like A Virgin* et tout ce que cela comporte, mais j'ai créé un personnage tout à fait différent pour mon troisième album."

"Le problème c'est que, dans l'esprit du public, on représente une image, une image musicale, et je pense que ces personnages ne sont que des dédoublements de moi-même. Il y a une partie de moi dans chaque personnage que je joue. Je crois que j'avais des points communs avec Susan dans *Recherche Susan, désespérément* et je pense que j'ai beaucoup d'affinités avec Nikki Finn dans *Who's That Girl ?*; mais elle n'est pas exactement moi."

La deuxième tournée de Madonna, intitulée précisément "Tournée Who's That Girl", s'appuie sur cette philosophie.

A gauche : Madonna et Griffin Dunne, sa co-star dans *Who's That Girl ?* Ce couple se retrouve embringué dans une série d'aventures burlesques qui sont naturellement causées par la désopilante Nikki Finn (Madonna).

A droite : Madonna partagea également la vedette avec une co-star inhabituelle : un cougar.

Ces pages : L'histoire de *Who's That Girl ?* tourne autour des tribulations de Nikki Finn. Après avoir été emprisonnée à tort pour un crime qu'elle n'avait pas commis, Nikki est déterminée à remettre les pendules à l'heure. Cependant, ses méthodes ont tendance à lui causer pas mal de problèmes.

Madonna utilisa sept costumes différents ainsi qu'une variété de rôles et d'attitudes pour souligner l'atmosphère de chaque chanson. A mesure que les spectateurs virent ces différents personnages défiler sur la scène, ils se posèrent des questions mais découvrirent que les réponses n'étaient pas si faciles.

Vêtue d'un bustier noir presque indécent, Madonna était une vrai séductrice au début du concert. Mais, à mesure que le spectacle se déroula, elle passa alternativement du comi-

que au sérieux. Elle se moqua par exemple d'elle-même en portant un chapeau et des lunettes ridicules pendant quelques chansons, avant de redevenir sérieuse pour chanter " Papa Don't Preach ". Entourée d'images du Pape, du Président des Etats-Unis et de la Maison Blanche, Madonna exprima clairement sa position s'agissant du contrôle que doit avoir une femme sur son propre corps.

Pour interpréter " Live To Tell ", Madonna ne s'encombra d'aucun costume ou autre accessoire pour exprimer ce

A gauche : Photo publicitaire de *Who's That Girl ?* En dépit de tous les efforts de Madonna, ce film fut un échec dans les salles de cinéma.

Au-dessus : Bien que *Who's That Girl ?* fut un échec commercial, la chanson titre fut un grand succès pour Madonna. A l'origine, le film était intitulé *Slammer* (La taule) mais le titre fut changé car Madonna n'arrivait pas à trouver une chanson qui puisse s'y adapter.

A droite : Une scène du film.

A gauche et au-dessous : Madonna en séductrice pendant la tournée "Who's That Girl". Comme d'habitude les numéros chantés et dansés eurent un grand impact sur les spectateurs.

A droite : Madonna essaya toujours d'avoir un sens du spectacle et de la provocation. L'image de Madonna, vêtue d'un bustier noir presque indécent, tandis qu'elle portait un pistolet, donna matière à réflexion aux foules de spectateurs de sa tournée "Who's That Girl", laquelle joua partout à guichets fermés.

qu'elle avait à dire. Au lieu de cela, elle tira sa force d'un seul moment à la fin de la chanson où elle s'effondrait sur la scène. Pendant quelques instants, cette pose évoquait le désespoir mais, après coup, la chanteuse se redressait lentement et triomphalement.

La tournée "Who's That Girl" eut bien plus de succès que le film du même nom. Environ deux millions de spectateurs sur trois continents payèrent beaucoup d'argent pour assister à ce spectacle musical extravagant dont on dit qu'il a rapporté jusqu'à $500 000 par soirée. Le défi que Madonna s'était lancé à elle-même consistait à personnaliser un spectacle qui se déroulait dans un stade. Quiconque a assisté à un concert dans un stade sait bien que le public se sent très éloigné du ou des chanteur(s) qui sont sur scène. En introduisant dans ce spectacle des éléments visuellement excitants, Madonna parvint à rendre sa performance plus accessible à ceux qui se trouvaient très loin de la scène.

Actrice, chanteuse, compositeur et star mondialement connue, Madonna est également une personne pleine d'humanité qui a fait des spectacles pour de nombreuses causes charitables, depuis la famine jusqu'au SIDA, en passant par les forêts tropicales. Pendant la tournée "Who's That Girl", la performance de Madonna au Madison Square Garden le 13 juillet 1987 rapporta plus de $400 000 à l'AMFAR (Ameri-

A gauche et à droite : "Je vous forcerai à m'aimer", déclara-t-elle à son public au début des concerts de la tournée "Who's That Girl" — et elle y parvint. L'intérêt du public ne diminua à aucun moment et personne ne la quitta des yeux. Entourée d'écrans vidéo et d'un décor extrêmement sophistiqué, et en dépit d'énormes effets de scène, seule Madonna attira l'attention des spectateurs.

Au-dessous : Un sourire sur son charmant visage, Madonna arrive à la première de Who's That Girl.

can Foundation for AIDS Research : Fondation américaine
pour la recherche sur le SIDA). Elle fut la première star populaire à organiser un spectacle de cette importance pour aider
à combattre cette maladie mortelle. Elle continua à aider la
cause du SIDA avec un autre spectacle charitable trois ans
plus tard au Wiltern Theater à Los Angeles, où elle reçut pour
cela le prix du "AIDS Project Commitment to Life Award".

Ces pages : Alternativement amusante et
dramatique, Madonna forçait toujours le
public à se poser la question "Who's That
Girl ?" (Qui est cette fille ?). Mais il ne
trouva jamais la réponse.

Au-dessus : La voix empreinte d'émotion, Madonna tient le public captif dans la paume de sa main.

A droite : La "glamour girl" des années 80 : Madonna aux American Music Awards de 1987.

Madonna à Broadway

En 1988, Madonna changea son fusil d'épaule et joua dans la pièce de David Mamet *Speed-the-Plow* à Broadway avec Joe Mantegna et Ron Silver qui obtint un Tony Award (équivalent des Molières) pour sa prestation. Les personnages de Mantegna et de Silver étaient deux requins hollywoodiens essayant de monter une arnaque de production cinématographique, tandis que Madonna jouait le rôle d'une intérimaire qui croit que le livre qu'elle est en train de lire sur l'accélération de la fin du monde par les radiations nucléaires ferait un bon sujet de film. Elle essaye donc de convaincre les deux arnaqueurs qu'elle a raison ; cependant, bien qu'elle parvienne presque à ses fins, elle essuie finalement un échec.

En contraste évident avec ses tenues généralement éro-tico-exotiques, Madonna joua ce rôle habillée d'une manière très conservatrice (une jupe sombre, des chaussures classi-ques et des lunettes), sans oublier de signaler que cette blonde explosive était devenue brune. A l'encontre de l'agres-sive Susan dans *Recherche Susan, désespérément* et de la folle Nikki dans *Who's That Girl ?,* son personnage était extrê-mement calme et donc aussi anti-Madonna que faire se peut.

Bien qu'elle ait été nouvelle dans le monde du théâtre, Madonna fit une bonne impression sur ses co-stars et sur les critiques de par son assurance. "J'aime sa détermination ; elle essaye de bien faire." déclara Mantegna. "Elle est fasci-nante." ajouta le metteur en scène George Mosher.

Le public fut également séduit. Au début, les spectateurs n'arrivaient pas à croire que c'était elle ; ensuite, ils n'arrivaient pas à croire qu'elle puisse être aussi bonne comédienne. Son interprétation était sans faille, et elle disait son texte avec le mélange de naïveté et d'honnêteté qui convenait au person-nage.

A gauche : Madonna surprit tout le monde par sa décision de jouer sur la scène de Broadway. Cependant, les criti-ques furent encore plus surpris lorsqu'ils découvrirent que cette diva sexy des night-clubs était capable de jouer un rôle sérieux.

A droite : "Je me sens plus stable lorsque j'ai les cheveux bruns, et je me sens plus éthérée quand je suis teinte en blonde." déclara Madonna. "C'est inexplicable. Je me sens également plus italienne quand mes cheveux sont foncés."

Like a Prayer

Like a Prayer (1989), le quatrième album de Madonna, représenta l'effort le plus sérieux de sa carrière jusqu'à ce moment-là. Les paroles de ses chansons reflétaient les périodes difficiles qu'elle avait rencontrées pendant toute sa vie, depuis la mort de sa mère (" Promise to Try ") jusqu'à l'échec de son mariage avec Sean Penn (" Til Death Do Us Part "), en passant par ses problèmes relationnels avec son père (" Oh Father "). Bien que ces chansons aient une connotation extrêmement personnelle, leurs thèmes sont universels. " Le contexte émotionnel de cet album est inspiré par la période pendant laquelle je mûrissais — bien que je sois toujours en train de mûrir. " En contrepoint à ces chansons poignantes, il y a des chansons plus légères telles que " Che-rish ", " Keep It Together " et " Love Song ". Dans toutes ces chansons, la musique parvient à retenir le charme et le brillant qui la propulsèrent jusqu'aux sommets du hit parade.

La chanson titre donna cependant matière à controverses. Remplie de symboles sexuels et religieux, le clip vidéo correspondant fit enrager divers dirigeants religieux qui le considérèrent comme étant blasphématoire. D'autre part, des extraits du clip vidéo de " Like a Prayer " furent utilisés dans une publicité pour Pepsi Cola, mais la controverse qui faisait rage autour de ce clip força Pepsi Cola à abandonner cette campagne publicitaire. Ce changement de plans coûta environ dix millions de dollars à Pepsi Cola. Cependant, la chanson elle-même ne souffrit aucunement de cette mauvaise

A droite : La chanson titre de l'album *Like a Prayer* et son clip vidéo très controversé firent enrager certains dirigeants religieux et causèrent un désastre publicitaire pour Pepsi Cola. Cependant, Madonna prit sa revanche car, hors des Etats-Unis, cette publicité fut un énorme succès, ce qui lui valut un Clio Award.

A gauche : S'inspirant des traumatismes causés par son divorce et par la mort de sa mère lorsqu'elle était jeune, *Like a Prayer* fut, jusqu'à cette époque, l'album le plus personnel de Madonna.

publicité et en bénéficia d'ailleurs peut-être. En effet "Like a Prayer" resta numéro un au classement pendant plus d'un mois.

"Express Yourself" et "Cherish" sortirent également en 45 tours accompagnés d'une promotion par clips vidéo. Cependant, le clip de "Express Yourself" causa également un scandale bien que moins important que celui de "Like a Prayer". Dans ce clip, Madonna apparaît pendant quelques instants vêtue seulement de chaînes et de fers. Par comparaison, le clip de "Cherish", dans lequel Madonna s'ébat au milieu des vagues, est très acceptable.

Au-dessus : Une Madonna joueuse s'ébat parmi les vagues lors du tournage du clip vidéo de "Cherish".

A droite : Madonna rentre chez elle après une dure répétition. Elle donne une impression de facilité mais, comme tous les professionnels, Madonna passe des heures à se perfectionner.

Dick Tracy

Madonna est une femme très volontaire et, bien que ses prestations en tant que comédienne n'aient pas été en rapport avec son véritable talent, elle n'abandonna jamais l'idée d'être prise au sérieux comme actrice. "Tout au fond de moi, je sais bien que, quelles que soient les choses que j'ai apprises, j'ai toujours un immense désir de faire une carrière de comédienne. Certains diront sans doute que je n'ai pas choisi le chemin le plus direct."

La carrière de comédienne de Madonna débuta merveilleusement avec *Recherche Susan, désespérément,* mais ses rôles suivants ne purent égaler ce succès. *Shanghai Surprise* fit surtout parler de lui à cause des bagarres de Sean Penn, et *Who's That Girl* ne put jamais se remettre des défauts du scénario. *Bloodhounds of Broadway* (1989), dans lequel Madonna jouait le rôle d'une chanteuse de cabaret, est seulement remarquable par le fait qu'il n'attira que peu l'attention. D'après un grand producteur d'Hollywood, elle n'était alors qu'"une star de cinéma à la recherche d'un film".

Finalement, Madonna trouva un rôle qui semblait être fait pour elle. En jouant Breathless Mahoney dans *Dick Tracy,* film que tout le monde attendait avec impatience, Madonna mit le feu à l'écran. D'ailleurs, elle avait tellement envie de jouer ce rôle qu'elle travailla au tarif syndical, c'est-à-dire à peine $ 1 650 par semaine.

Grâce aux chansons de Stephen Sondheim, ce rôle mettait en valeur ses talents de chanteuse aussi bien que d'actrice. Cependant, elle admet elle-même que le rôle de Breathless Mahoney n'avait pas "beaucoup de profondeur". Pour la première fois dans sa carrière de comédienne, elle joua un personnage méchant, celui d'une chanteuse de cabaret qui, en dépit d'elle-même, tombe amoureuse de Dick Tracy, interprété par Warren Beatty. Cette liaison est vouée à l'échec car ils sont aussi différents l'un de l'autre que le soleil et la lune, une différence qui est soulignée par leurs costumes. En effet, Dick Tracy porte un imperméable jaune paille tandis que Madonna est vêtue dans les tons noir et argent.

La liaison de ces deux stars à l'écran se poursuivit hors du studio, ce qui fit couler beaucoup d'encre dans les journaux à scandales. Comme les personnages qu'ils représentaient, ils formaient un drôle de couple et leur liaison ne dura pas très longtemps.

Que *Dick Tracy* remporte le succès escompté par ses producteurs n'a aucune importance pour Madonna. Ce qui compte, c'est que Breathless ait séduit Hollywood. Comme Madonna l'a prouvé à plusieurs reprises dans sa brève carrière, elle possède réellement cette intangible qualité de star.

Cependant, sachant parfaitement qu'elle ne peut pas attendre que les rôles lui tombent du ciel, elle a fondé sa propre société de production, Siren Films, afin de pouvoir trouver des projets de films.

A un moment donné, elle a même été intéressée par l'acquisition des droits cinématographiques d'un roman intitulé *Velocity,* qui raconte l'histoire d'une femme qui retourne chez ses parents après la mort de sa mère pour essayer de développer sa relation avec son père.

Pendant qu'elle remet les choses au point avec son père, l'héroïne tombe amoureuse d'un homme qui ne lui convient absolument pas et, bien que cette liaison se termine mal, elle

A gauche : Dans *Dick Tracy,* Madonna joua le rôle de Breathless Mahoney, la chanteuse sexy du cabaret de Big Boy Caprice (Al Pacino).

A droite : Madonna avec sa co-star et réalisateur Warren Beatty. Pendant quelque temps, ces deux comédiens eurent une liaison en privé comme à l'écran.

finit par se réconcilier avec son père. Cette histoire a de nombreux points communs avec la propre vie de Madonna et, en fait, l'auteur, Kristin McCloy, avoua à Madonna qu'elle avait pensé à elle lorsqu'elle écrivait ce roman.

Il y a également eu des rumeurs indiquant que Madonna serait considérée pour le rôle titre de *Evita* et pour le remake de *Some Like It Hot* (Certains l'aiment chaud) dans lequel elle jouerait le rôle précédemment tenu par Marilyn Monroe, tandis que ceux de Jack Lemmon et Tony Curtis seraient joués par Michael Keaton et Tom Cruise.

Il est impossible de prédire ce que Madonna choisira pour son prochain rôle mais une chose est certaine : cette femme talentueuse réussira sûrement dans tout ce qu'elle entreprendra.

Au-dessus : Comme le révèle cette captivante photo, il est facile de comprendre pourquoi Dick Tracy fut incapable de résister aux charmes de la ravissante Breathless Mahoney.

A droite : Breathless en train de séduire le public dans le cabaret de Big Boy Caprice.

Blond Ambition

Pendant le succès de la distribution de *Dick Tracy,* Madonna partit pour sa troisième tournée, qui fut jusqu'alors la plus imaginative, le 13 avril 1990. Lorsque les billets furent mis en vente, il s'en vendit 2 500 en une minute — ce qui est un record dans l'industrie du spectacle.

La tournée " Blond Ambition " débuta à Chiba, au Japon, où est situé le nouveau Marine Stadium, et les critiques furent enthousiasmés. L'environnement futuriste de ce stade non couvert était un emplacement idéal pour ce spectacle qui comportait de nombreux effets de scène. L'atmosphère surréaliste fut décuplée par la pluie qui commença à tomber dès le début du concert. Etant une adepte de la philosophie qui prétend que " le spectacle doit continuer ", Madonna fit face aux éléments et, bien que le concert dut être interrompu brièvement plusieurs fois pour enlever les flaques d'eau de la scène, les spectateurs furent ravis que la chanteuse ait eu le courage de se produire tout de même. Trois ans auparavant, des vents violents avaient forcé Madonna à annuler son concert à Tokyo et elle voulait à tout prix éviter que cela se reproduise.

Cette tournée coïncida avec la sortie du dernier album de Madonna, *I'm Breathless,* dont le titre fournit un lien astucieux avec le rôle de Breathless Mahoney qu'elle venait de jouer dans *Dick Tracy.* Décrit sur la pochette comme étant " de la musique tirée de et inspirée par le film *Dick Tracy* ", *I'm Breathless* est très différent de ce qu'avait fait Madonna jusqu'alors. Avec tout de même comme exception *Vogue,* qui semble avoir été écrite pour le Top 10, la musique évoque l'époque des chansons de charme et du swing. Sa voix est également différente. L'interprétation claironnante de " Holiday " a été remplacée par un son plus grave et plus sombre. Trois des chansons de cet album, " Sooner or Later ", " Now I'm Following You " et " Hanky-Panky " faisaient partie du spectacle de l'étincelante tournée " Blond Ambition ".

La dernière tournée de Madonna a été comparée avec une production de Broadway. Les musiciens étant placés sur les côtés de la scène, la seule chose importante est l'action qui se déroule au centre. Ce spectacle reflétait parfaitement ses chansons et ses clips vidéo. Sa prestation fut un exercice de précision : un ballet plutôt qu'un concert de rock. Cependant, avec ses costumes sexy et ses gestes provocants, son but était également de choquer. Lors de l'interprétation de " Like A Virgin ", elle était allongée sur un lit rouge vif. Pendant qu'elle promenait ses mains sur son corps, ses deux compagnons

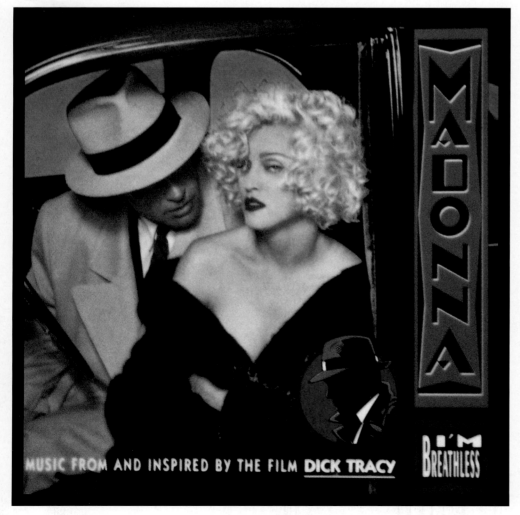

A gauche : Avec " de la musique tirée de et inspirée par le film *Dick Tracy* ", le dernier album de Madonna, *I'm Breathless,* est très différent de son style de musique antérieur. La pochette de l'album fournit un lien supplémentaire avec le film en présentant une photo de Breathless et Dick Tracy.

A droite : Madonna sur scène pendant la tournée " Blond Ambition ".

Ces pages : Comme d'habitude, on peut s'attendre à ce que Madonna fasse tourner les têtes et puisse même causer un scandale avec ses costumes excentriques. Les vêtements de scène de Madonna pour sa tournée "Blond Ambition" en 1990 furent dessinés par le couturier français Jean-Paul Gaultier.

caressaient les faux seins pointus qui étaient fixés sur leur poitrine. Comme l'explique le chorégraphe Vince Paterson, "(Madonna) voulait s'exprimer sur la sexualité, la contre-sexualité, l'Eglise et bien d'autres choses."

La partie essentielle de son message fut exprimée par ses vêtements extravagants, l'un d'entre eux étant un costume d'homme à rayures avec des trous découpés pour laisser passer ses seins. "J'aime bien le mélange de la féminité et de la masculinité", expliqua le couturier Jean-Paul Gaultier. "Naturellement, chez Madonna, c'est la féminité qui explose à travers la masculinité. C'est un peu surréaliste. Les seins pointus sont une sorte d'obsession en Amérique."

Madonna a toujours été connue, et même critiquée, pour l'étalage extrêmement sexuel de ses spectacles. Cette image lui a attiré de nombreuses critiques de la part des féministes qui pensent qu'elle représente les femmes d'une manière négative. Cependant, Madonna est persuadée que son message est exactement à l'opposé. "Les gens pensent que, lors-qu'on est belle, sexy et provocante, on n'a absolument rien d'autre à offrir. Les gens ont *toujours* eu cette image de la femme. Et, bien qu'on ait pu penser que je me comportais comme un stéréotype, il se trouve que c'était une stratégie. C'est moi qui contrôlais tout ce que je faisais, et je crois que quand les gens l'ont compris, cela les a déroutés. Ce n'est pas comme si je disais : "Ne faites pas attention aux vêtements — ou aux sous-vêtements — que je porte". En fait, si je me suis mise à porter ces costumes, c'était réellement pour essayer de prouver que l'on peut être sexy et forte à la fois. D'une certaine manière, il était nécessaire que je porte ces vêtements."

En d'autres termes, ce "Boy Toy", loin d'être un objet sexuel, est le patron, la femme-guerrière, équipée d'une armure de sous-vêtements. Le spectacle "Blond Ambition" traite du pouvoir des femmes. Après tout, elle y fait tomber toute une rangée de danseurs en ligne. "Ça fait beaucoup de bien de se sentir puissante. C'est ce que j'ai recherché toute ma vie. Je crois que la quête de tout être humain est exacte-

ment cela : le pouvoir. "

La presse japonaise se contenta d'évoquer les bizarreries sexuelles de Madonna et oublia complètement les autres aspects du spectacle. Cependant la réaction des Japonais fut extrêmement positive : on dit que Madonna reçut quelque quatorze millions de dollars pour cette tournée de neuf spectacles.

Si on l'a adorée au Japon, l'accueil que Madonna reçut ailleurs fut parfois beaucoup moins cordial. A Toronto, la police lui demanda d'édulcorer son spectacle. Comme elle refusa, des agents prirent place dans le stade avec des jumelles, sans doute pour l'arrêter si elle commettait une action illicite pendant le spectacle. En Italie, des groupes de Catholiques à Rome et à Turin décrirent son spectacle comme étant vulgaire et blasphématoire, et exigèrent que les concerts de Madonna soient annulés. De nombreux dirigeants religieux furent particulièrement perturbés par l'utilisation du crucifix comme bijou fantaisie par Madonna. Cette réaction fut une version plus intense de la controverse qui avait éclaté à propos du clip vidéo de " Like a Prayer " un an auparavant. En Ita-

lie, les opposants eurent gain de cause et forcèrent la télévision d'Etat à arrêter de diffuser ce clip.

Comme cela est dans sa nature, Madonna resta sur ses positions. Elle convoqua une conférence de presse et proposa aux dirigeants religieux : " Venez voir mon spectacle et tenter de le juger par vous-même. Ce spectacle n'est pas un concert de rock conventionnel ; c'est une présentation théâtrale de ma musique et, comme le théâtre, ce spectacle pose des questions, fait réfléchir et vous emmène dans un voyage émotionnel. C'est ce que j'appelle la liberté d'expression et de pensée. Si vous m'empêchez de faire ce spectacle, c'est comme si vous disiez que vous ne croyez pas à ces libertés. "

Les dirigeants religieux n'acceptèrent pas son invitation mais le spectacle se déroula comme prévu.

La controverse fait partie du métier de l'artiste. Une œuvre d'art, que ce soit un roman, une sculpture ou un spectacle, représente un défi pour l'intellect. En tant qu'artiste qui essaye de faire réfléchir *et* de distraire le public, Madonna n'a jamais éludé les controverses et continuera sans doute à faire la même chose lors de ses prochaines créations.

Superstar

Madonna n'a jamais été surprise par son succès car elle a travaillé très dur pour y arriver. Qu'elle se soit produite comme danseuse, comme chanteuse ou comme comédienne, Madonna a toujours eu la ferme intention de réussir. "Je savais qu'il fallait que je m'applique dans mon travail. Et c'est cette dévotion, cette ambition et ce courage qui me permettaient d'arriver à l'étape suivante."

Depuis qu'elle était enfant, Madonna a toujours travaillé dur. Elle aida sa belle-mère à élever ses frères et sœurs tout en ayant d'excellentes notes en classe. Au début de sa carrière, lorsqu'elle alla habiter New York, elle s'entraîna à danser, elle apprit tout ce qu'elle put sur la musique et passa des heures au téléphone pour arriver à décrocher un contrat de disque. Elle travaille tout aussi dur pour se maintenir en excellent forme physique en suivant un programme d'exercices très strict : elle court dix kilomètres tous les matins, puis fait de l'aérobic et nage dans sa piscine. Comme elle dit à ses fans : "Les rêves se réalisent" — si on travaille dur.

Madonna est beaucoup plus qu'une chanteuse et une danseuse de talent et, bien que la chance ait certainement joué un rôle dans son succès, c'est une femme d'affaires extrêmement avertie. Depuis 1986, Madonna a gagné cent millions de dollars. En plus de Siren Film, elle dirige deux autres compagnies : Boy Toy s'occupe de l'édition de musique et Slutco produit ses clips vidéo.

Cependant, son plus grand talent est celui qui consiste à être passée maître dans l'art d'être célèbre. Quoi qu'elle dise ou quoi qu'elle fasse, elle attire l'attention des foules. C'est tout simplement une star du plus haut niveau que l'on n'oubliera jamais.

A gauche : Bien que les critiques aient éreinté *Shanghai Surprise,* Madonna aborda le rôle de Gloria avec sa détermination habituelle.

A droite : La superstar Madonna explosa dans le monde entier avec sa tournée "Blond Ambition".

A gauche : La superstar en train de courir comme tous les matins.

Au-dessus : Bloodhounds of Broadway ne parvint pas à attirer l'attention qu'il méritait. Dans cette scène, Feet Samuels (Randy Quaid) est prêt à tout donner pour obtenir la fille de ses rêves, la danseuse Hortense Hathaway (Madonna).

A droite : Malheureusement, *Shanghai Surprise,* le seul film que Madonna et Sean Penn firent ensemble, fut voué à l'échec, ainsi que leur mariage.

INDEX

"Act of contrition" 95
African Queen, The 48
AIDS Project Commitment to
Life Award 68
Alvin Ailey School 15
American Foundation for
AIDS Research
(AMFAR) 68
American Music Awards 27,
28, 71
"Angel" 95
Arquette, Rosanna 33, 34, 43
At Close Range 44, 52

"Back in Business" 95
Bay City, Michigan 10
Beatty, Warren 9, 9, 78, 79
Benitez, John
"Jellybean" 18
Bleeker Bob's 15
*Bloodhounds of
Broadway 78, 93, 95,*
Bogard, Humphrey 48
"Borderline" 18, 95
Bowie, David 22
Boy Toy 90
Breakfast Club, the 15
Bringing Up Baby 58
Brothers, Dr Joyce 27
"Burning Up" 22, 95
Burton, Richard 44, 46

Casadei, Eletra 22
"Cherish" 74, 76, 76, 95
Chiba, Japon 84
Clio Awards 74
"Crazy for You" 36
Cruise, Tom 47, 80
"Cry Baby" 95
Curtis, Tony 80

Danceteria 15
"Dear Jessie" 95
DeMann, Freddy 22
"Diamonds Are A Girl's Best
Friend" 26, 27
*Dick Tracy 9, 9, 78-84,
78-84, 95*
"Dress You Up" 95
Dunne, Griffin 58, 59

"Everybody" 15, 95
Evita 80
"Express Yourself" 76, 95

Fisher, Carrie 47
Flynn, Christopher 12
Funhouse 18

Gaultier, Jean-Paul 87
*Gentlement Prefer
Blondes 27*
Gilroy, Dan 15, 18
Gilroy, Ed 15

Hand Made Films 48
"Hanky-Panky" 84, 95
Harrison, George 48, 51, 51
Hawks, Howard 58
*Heart of Rock and Soul, 1001
greatest singles ever made,
the 52*
Hepburn, Katherine 48
"He's a Man" 95
"Holiday" 13, 55, 84, 95
Holliday, Judy 58

"I Know It" 95
I'm Breathless 6, 84, 84, 95
"I'm Going Bananas" 95
"Into the Groove" 36

Jackson, Michael 22
JFK Stadium,
Pennsylvania 43
"Jimmy Jimmy" 95

Kamins, Mark 15
Keaton, Diane 47
Keaton, Michael 80
"Keep It together" 74, 95

Lady Eve, The 58
"La Isla Bonita" 55, 95
Lemmon, Jack 80
Let's dance 22
Lewis, Huey 28
*Like A Prayer 74, 74-75, 76,
88, 95*
"Like A Prayer" 95
*Like A Virgin 6, 22, 22, 24, 27,
58, 95*
"Like A Virgin" 22, 25, 87, 95
Live-Aid, Concert 42-43
"Live to Tell" 52, 64, 95
Levine, Anna 33
"Love Don't Live Here
Anymore" 95
"Love Makes the World Go
Round" 95
"Love Song" 95
"Lucky Star" 18, 22, 95

McCloy, Kristin 80
Madison Square Garden
(New York) 64

Madonna 6, 18, 18, 20
Mamet, David 6, 72
Mantegna, Joe 72
Marsh, Dave 52
"Material Girl" 22, 27, 44
Midler, Bette 43
Monroe, Marilyn 6, 9, 26,
27, 43
"More" 95
Mosher, Gregory 72
MTV 22

"Now I'm Following You
(1re Partie)" 84, 95
"Now I'm Following You
(2^{e} Partie)" 84, 95

"Oh Father" 12, 74, 95
"Open Your Heart" 55, 95
Orion Pictures 30
"Over and Over" 95

Pacino, Al 78
"Papa Don't Preach" 52, 55,
60, 95
Paterson, Vince 87, 88
Penn, Sean 44-47, 50-52, 52,
74, 94
Penthouse 27, 43
Pepsi Cola 74, 76
"Physical Attraction" 95
Playboy 43
"Pretender" 95
"Promise To Try" 74, 95

Quaid, Randy 93

* *Recherche Susan,
Désespérément 6, 6,
30-39, 3-39, 52, 60, 72,
78, 95*

Rochester Adams
High School 10, 12
Rome, Italie 88
Sanford, Midge 30
Seidelman, Susan 30
*Shanghai Surprise 6, 48-51,
48-51, 52, 56, 78, 90, 94, 95*
"Shoo-Bee-Doo" 95
Silver, Ron 72
Sire Records 15, 18
Siren Films 78
Slutco 90
Smit, Angie 15
Some Like It Hot 80

"Something to
Remember" 95
Sondheim, Steven 78
"Sooner or Later" 84, 95
"Spanish Eyes" 95
Speed-the-Plow 6, 72, 95
"Stay" 95
Sturges, Preston 58
Taylor, Elizabeth 44, 46
TD4, Label 22
"Think of Me" 95
"Till Death Do Us Part" 74, 95
* Tournée "Blond Ambition"
9, 84-88, 85-88, 95
* Tournée "Virgin" 44, 95
* *Tournée "Virgin" —
Madonna Live,
la cassette vidéo 24*
* Tournée "Who's That Girl"
60, 64-67, 95
True Blue 1, 52, 52, 95
"True Blue" 55, 95
Turin, Italie 88

Université du Michigan 12

Velocity 78
Vision Quest 36, 95
"Vogue" 88, 95

Walken, Christopher 47
Warner Brothers 18
Wembley Stadium,
Londres 43
"What Can You Lose?" 95
"Where's the Party?" 95
"White Heat" 95
*Who's That Girl 3, 6, 58-63,
58-63, 66, 72, 78, 95*
Williams, Vanessa 43

Page 96: Une Madonna jeune
et vibrante sur le point de
devenir une star.

Discographie

Madonna (1983)
Lucky Star
Borderline
Burning Up
I Know It
Holiday
Think of Me
Physical Attraction
Everybody

Like A Virgin (1984)
Material Girl
Angel
Like A Virgin
Over and Over
Love Don't Live Here Anymore
Dress You Up
Shoo-Bee-Doo
Pretender
Stay

True Blue (1986)
Papa Don't Preach
Open Your Heart
White Heat
Live to Tell
Where's the Party
True Blue
La Isla Bonita
Jimmy Jimmy
Love Makes the World Go Round

Like A Prayer (1989)
Like A Prayer
Express Yourself
Love Song
Till Death Do Us Part
Promise To Try
Cherish
Dear Jessie
Oh Father
Keep it Together
Spanish Eyes
Act of Contrition

I'm Breathless (1990)
He's a Man
Sooner or Later
Hanky-Panky
I'm Going Bananas
Cry Baby
Something to Remember
Back in Business
More
What can You Lose ?
Now I'm Following You (1re Partie)
Now I'm Following You (2^{e} Partie)
Vogue

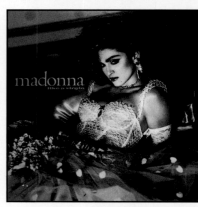

Tournée de concert

Tournée "Virgin" (1985)
Who's That Girl ? (1987)
Blond Ambition (1990)

Films

Vision Quest (1985) (Petit rôle)
Recherche Susan, désespérément (1985)
Shanghai Surprise (1986)
Who's That Girl ? (1987)
Bloodhounds of Broadway (1989)
Dick Tracy (1990)

Pièces de théâtre

Speed-the-Plow (1988)